Les costumes de Noëlle de BC L'Oiseau

écrit et illustré par

Nada Serafimovic

Summer Island Press
Thorne Bay, Alaska

Published in the United States by
Summers Island Press
P.O. Box 19293 Thorne Bay, Alaska 99919

Website: www.SummersIslandPress.com
For information contact: info@SummersIslandPress.com

Summers Island Press is an imprint of the Wilderness School Institute, a non-profit educational
organization that offers outdoor youth activities in wilderness settings, including
training in wilderness skills and nature studies, as well as the publication of curriculum on related
subjects,through the Wilderness School Press, and their children's imprint Summers Island Press.

BG Bird's Christmas Costumes / Hardback Edition

À tous les enfants créatifs du monde.

BG L'Oiseau était solitaire,
et la Noëlle était si proche.

La Corneille était paresseuse...

Ses amis Ecureuils était occupés en rangeant des noix pour l'hiver.

Les souris essayons

de s'échoffer.

Qu'est-que je peux faire en décembre toute seule?

Je ne peux pas seulement dormir, manger et regarder à la Télé.

BG L'Oiseau aussi priait pour

tous au monde.

Ça ne l'emporte pas ennuyeux quand on n'a pas avec quelque chose remplir son temps. Écoutant pour le concours pour la plus belle carte de Noëlle, elle dit:

"Ça me donne une bonne idée! Je vais faire un costume par jour, et je vais m'en photographer."

21

Notre oiseau tout à coup regarde tout au tour de sa maison...

...comme folle.

En un moment elle était dans la masse des livres, en un autre, elle coupait quelque chose et formait du carton.

Apres cela, elle parti en magasin de loisire d'auprès en achetant encore quelques choses: la colle,

la brosse à la peinture, les couleurs.

Quand revenant à la maison elle a cerclé tout le matériel et outils qu'elle avait tout autour de soi pour l'inspirer.

Alors elle commençait à esquisser.

Et quand elle commençait
à esquisser...

...elle continua en plus...

Après finir à esquisser,
BG L'Oiseau a choisie les
quatres esquisses meilleurs.
Alors, elle a décidée se reposer
et commencer demain matin
quand elle est la plus
créative.

Elle s'endormit songeant
le tout procès,
pas à pas.

39

Le matin suivant BG L'Oiseau s'eveillée réfrechie. Elle fait son lit, après, fait la douche, brosse les dents, et prépare une grande tasse du thé au menthe pour toute la journée.

Alors elle a regardée sur le calendrier en mur.

Elle a collé les quatres esquisses sur le mur, commençant de la plus difficile.

"Quand ce costum sera fini", pensa-t-elle, "les suivants sera faire plus facile, et je vais me sentir comme un champion faisant sur les trois qui restent!"

Quand tout les costumes seront fini, elle a décidée de faire un peu de décoration des restes des matériels de son grand projet et de décorer l'Arbre de Noël.

Enfin, elle se fait photographiér en chacun des costumes, fait coller toutes les photos sur un long morceau du papier, et plier comme l'accordéon.

Noël solitaire vous manque, envoyez une carte si vous aussi!

Après ça elle a fait plusieurs de copies.

Comme une grande suprise pour elle
ses amis lui ont reddonnés avec leurs
cartes de Noëlle.

Premièrement est arrivée une, apres la deuxième et ensuite encore une...

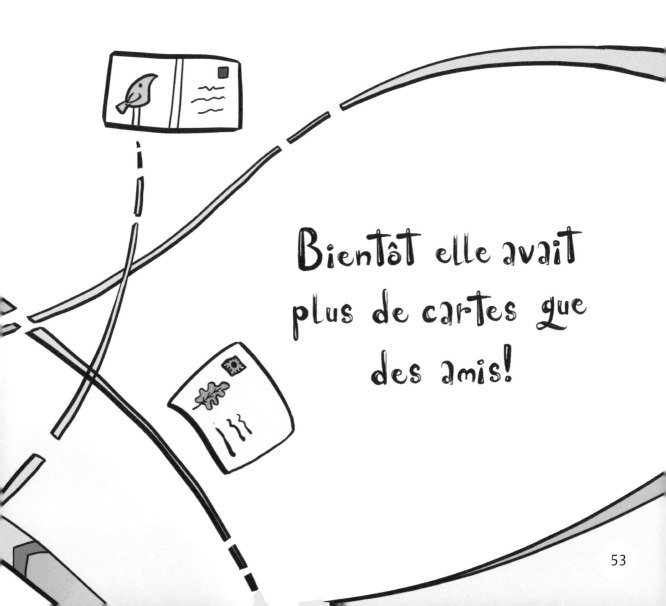

Bientôt elle avait plus de cartes que des amis!

Ceux qu'elle ne connaît pas, ont vu que sa carte était publiqué en sité internet nommé pour cet concourse, ils étaient saisis par ses costumes. Elle a obtenue beaucoup d'amour et des voeux de Noël de ses nouveaux amis. Alors, le notre Oiseau comprit combien des autres était assis tout seuls dans ses maisons.

"moi, en fait, je ne suis jamais seule,"

BG L'Oiseau a décidée.

Ou, même ennuyé. Pas quand je peux trouver de bonnes idées."

A propos de l'auteur

Titulaire d'une maîtrise en conception et illustration de livres,
Nada Serafimovic a travaillé sur des livres pour de nombreux pays.
Elle pense que les livres pour enfants ne doivent pas seulement être
amusants à lire,mais ajoutez aussi quelque chose de
bien à leur personnalité.

Elle a inventé le personnage de BgBird comme excuse pour raconter des
histoires en partie de sa propre vie, mais surtout pour avoir une bonne
influence sur les enfants et les adultes. Voyager en tant que nomade
numérique et illustratrice indépendante ces dernières années lui a
donné des ailes et des yeux pour voir le monde avec une nouvelle empathie
Quelque chose qui s'est transféré dans sa narration et ajoute à son
incroyable talent pour donner vie aux personnages sur la page.

Nada vit à Belgrade, en Serbie, et adore aussi découvrir la vie et la culture
d'autres pays. Vous pouvez en savoir plus sur son travail et
se déplace à:
thebgbird.com and nadaserafimovic.com

Autres livres de

Nada Serafimović

Bird's Christmas Costumes
English Edition

BG Bird's Christmas Costumes
French Edition

BG Bird's Christmas Costumes
Serbian Edition

eepy Before New Years Eve
English Edition

Sleepy before New Years Eve
French Edition

Sleepy Before New Years Eve
Serbian Edition

Note aux lecteurs ...

Merci d'avoir lu ce livre. Si cela vous a plu, dites-le à quelqu'un! Ou pensez à laisser un avis sur l'un de vos sites en ligne préférés. Si vous souhaitez lire d'autres livres comme celui-ci, vous pouvez trouver les en visitant:

SummersIslandPress.com

Vous y trouverez également le Wilderness Kids Club. C'est un endroit pour découvrir la nature et rencontrer d'autres enfants qui aiment aussi passer du temps dans les «grands espaces». Il y a même un véritable expert de la nature qui peut répondre à toutes vos questions sur la nature et comment explorer les pièces les plus proches de vous.

Une note aux parents ...

Summers Island Press et Wilderness Kids Club sont des divisions du Wilderness School Institute, une organisation éducative à but non lucratif basée à Alaska. Ils se consacrent à donner aux enfants quelque chose de mieux à faire et à apporter plus d'espoir et de héros dans leur vie. Pour plus d'informations ou pour découvrir comment vous pouvez vous impliquer dans certains de leurs projets passionnants, veuillez visiter:

WildernessSchoolInstitute.org

Lightning Source UK Ltd.
Milton Keynes UK
UKHW050649171120
373530UK00004B/61